네게 주는 화환

네
게
주
는
화
환

김미경 지음

책 소개

이 책은 일상 속 순간들을 그림으로 그리고
시와 함께 엮은 컬러링북입니다.
꽃을 건네듯, 저에게 위로를 주었던
아름다운 순간들을 전합니다.

저자 소개

김미경

저서/ 일상의 순간을 그리다

목록

봄꽃

낡은 외투를 두고

집을 나설 때

길모퉁이에

전봇대 옆에

담장 위에

겨우내

찬바람에 기대고 버티고

여위고 거칠어진

너의 몸 너의 손

어디서 구해 왔는지

휘청휘청 흐드러진 꽃들을

흔들흔들 들고 섰다가

거뭇한 손 한가득

눈부신 화환을 나에게 내미네

옛 생각

언제든 떠올리면

되겠지 했는데

생각하면 할수록

아득해지는 꿈처럼

물러서고 비끼고

끝내 눈맞춤 할 수 없는 얼굴

아주 잊히지는 않고

기억으로 꿈으로

그렇게 있는 너를

나는 아직도 천천히 더디게

깨이는 중인가 보다

숲길

새들도 속삭일 줄을 아네

다들 각자의 비밀이 있네

훌쩍 떨치고 날아가는 너를 따르는

이야기들이 산 여기저기

사무실 창가에서

창밖 흔들리는 나무 그림자

푸른 창을 어루만지며 펼친 손으로

어느새 밀고 들어와

내 안의 바람 소리

밑바닥 조용히 고인 수면 위로 드리우는

휘어진 나뭇가지 끝을 담그며

일렁이는 물그림자

얼비쳐 부서지는 빛 편린들에

눈 조아리면

가라앉았던 잔모래 같은 감정들은

기억보다 먼저 일어나 떠도네

불면

무딘 꿈속처럼 통증 없는 밤

파란 숫자로 깜박이는 새벽 여섯 시

기억에도 면죄부가 있을까

천천히 눈 감았다 뜨면

죄책감 없이 그 많은 것들이 이미 생각나
지 않고

영문 모를 눈물을 훔치면

손끝에서 부스스 흩어지는

먼지의 감촉

기약

꽃이 피었다 지네

때로는 붉었고 때로는 희었네

아름다운 너

다 저물거든 다시 와 다오

손인사

아침 문 앞

노란 은행잎

젖은 새벽 기운을 반짝이며

버석한 흙먼지를 훑어내며

신선한 배회의 냄새

밤내 여기저기 휘돌며 끝낸 인사를

내게도 마저 나누어 주네

방문

짙은 초록 어귀에서

나를 향해 서 있던 모습

투명하게 마주치던 시선

햇살에 바스락거리던 숨소리

부드럽고 뜨거웁던 손

달그락 달그락

소박하게 주고받던

그 하찮은 이야기들은

이제 다 어디로 갔나

칠흑 속 별빛 날카롭던 숱한 밤들

독한 술처럼 쓰고 달던

당신과 나의 목놓아 지르던 울음들

지금은 어디에도 없는

영원한 장소들

초봄 산행

아직 찬 바람이 지나네

얇은 나뭇가지 끝이 붉네

이제 막 따스해진 볕에

상기된 혈관들

오랜 기약을

봉숭아물처럼 손끝에 머금고

추운 산 휘돌아 온 바람의

멍든 몸을 어루만지네

볕에 부신 내 눈시울은

뿌옇게 차올라

찬 얼굴 쓸어내리면

두 손 가득 묻어나는 바알간 꽃물

빈방

방문 열어두고

먼 산 보이는 창도 밀어두면

햇빛이 들르고

오가는 바람이 들르고

그림자 스치는 새소리

나뭇잎 꽃잎도 들르고

나비도 밤의 풀벌레도 들르고

흩뿌리는 빗물 시린 흰 눈

새까만 밤의 정막도 들르고

그렇게 있다 보면

당신 없는 빈방에서

나도 어느덧 마실갈 수 있게 되면

그새 꿈결로 오듯이

당신도 들르고 하세요

춘천에서

돌아보면 저만치

아득한 어디

둘러보면

이토록 가득 한복판

잔잔하거나 일렁이거나

어느 날의 따스함

어떤 날의 얼음

그때마다 반짝이는

푸른빛 노을빛 밤빛

만나고 스친 그 모든 것들과

한데로 섞으며 뒤척이며

나는 흐르는 중이었구나

네게 주는 화환

발 행 | 2024년 05월 16일
저 자 | 김미경
펴낸이 | 한건희
펴낸곳 | 주식회사 부크크
출판사등록 | 2014.07.15.(제2014-16호)
주 소 | 서울특별시 금천구 가산디지털1로 119 SK트윈타워 A동 305호
전 화 | 1670-8316
이메일 | info@bookk.co.kr

ISBN | 979-11-410-8526-1

www.bookk.co.kr

꽃과 자연을 주제로 한
총 11개의 컬러링 도안과 채색본을 담았습니다.
시를 읽고 도안을 천천히 채색하면서
사색과 몰입을 통한 힐링을 느껴보세요.

값 12,900원
03810

9 791141 085261
ISBN 979-11-410-8526-1

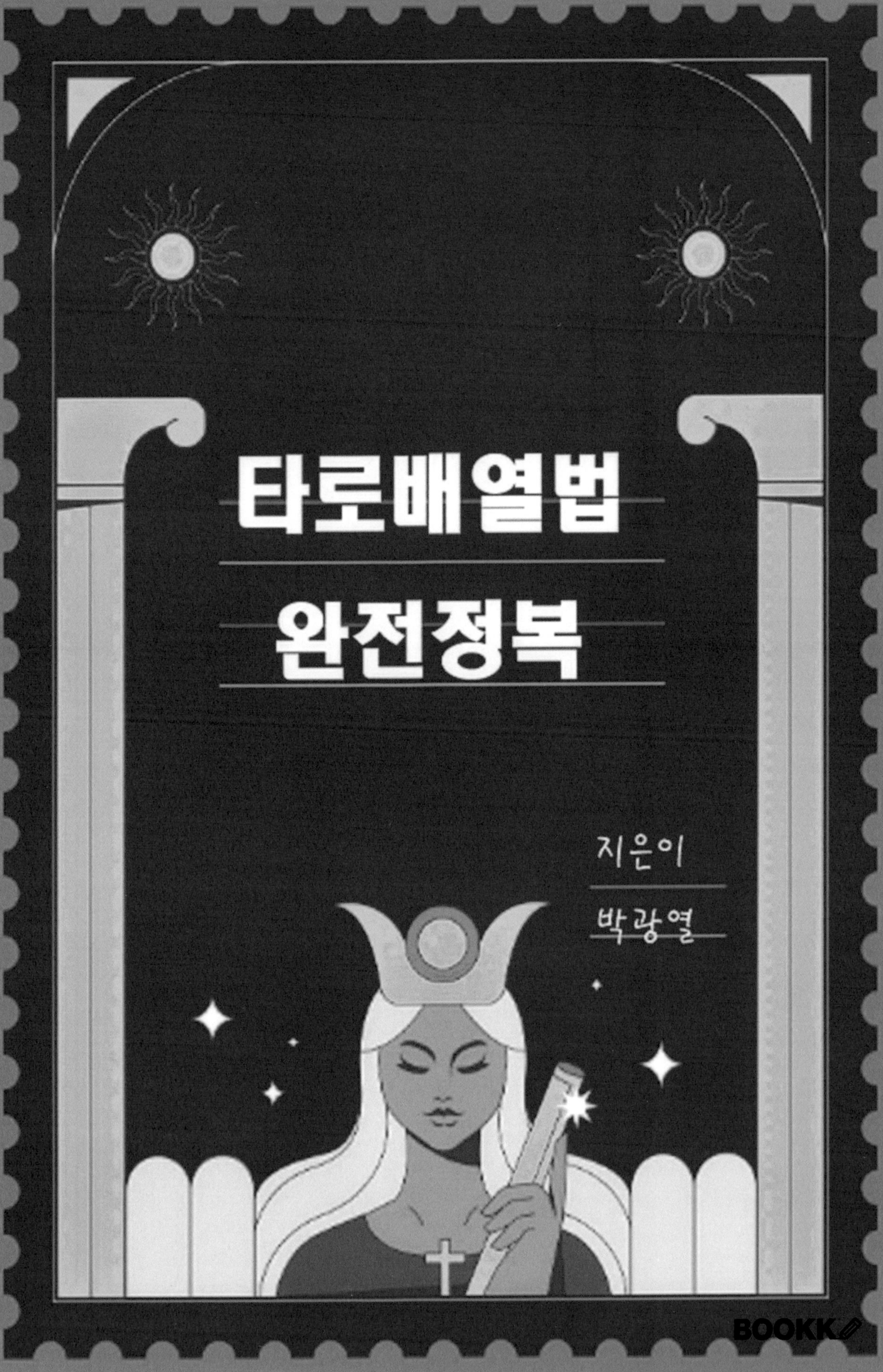

타로배열법 완전정복

지은이
박광열

BOOKK